銘

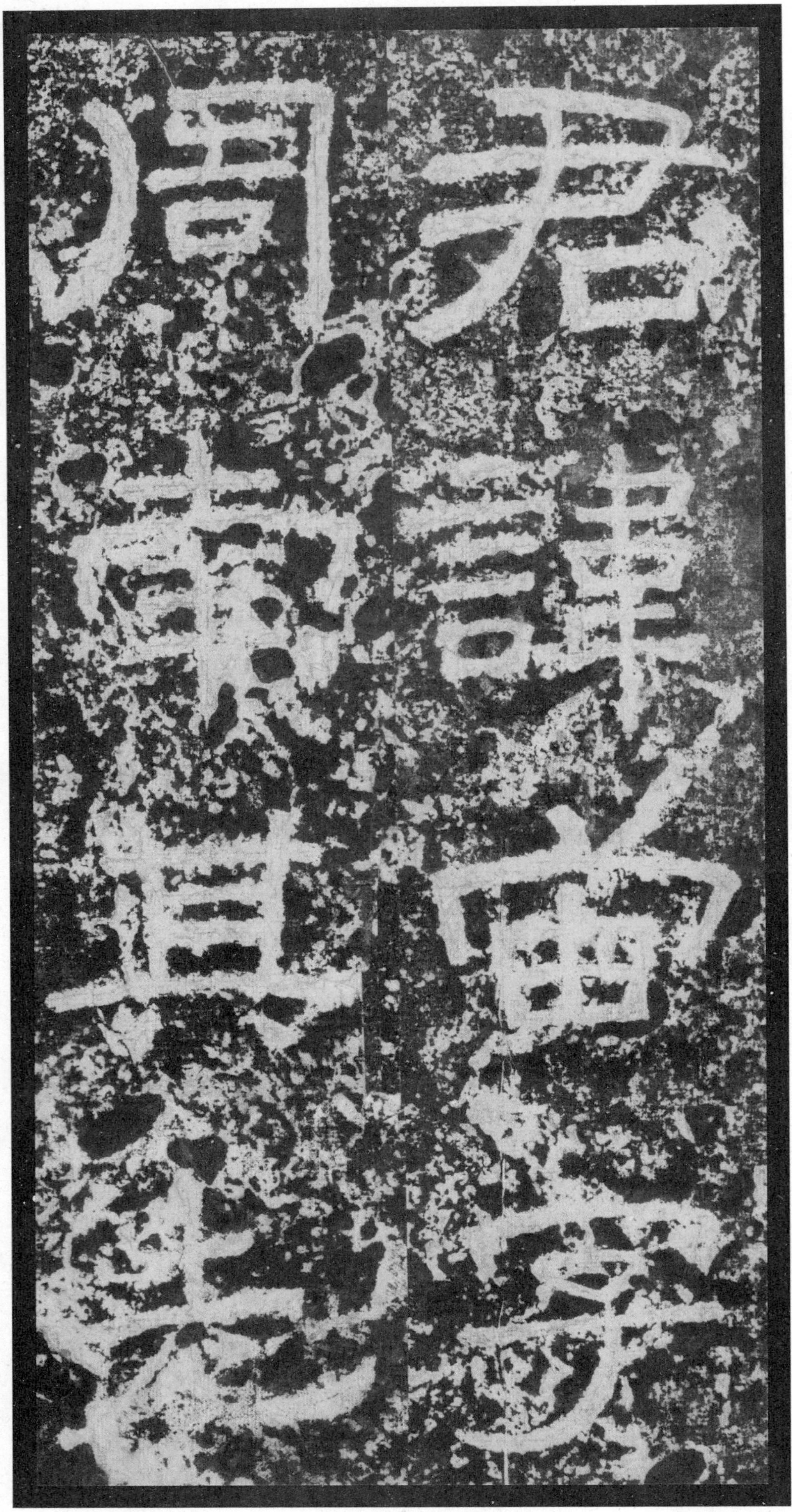

君諱宙　字周南　其先

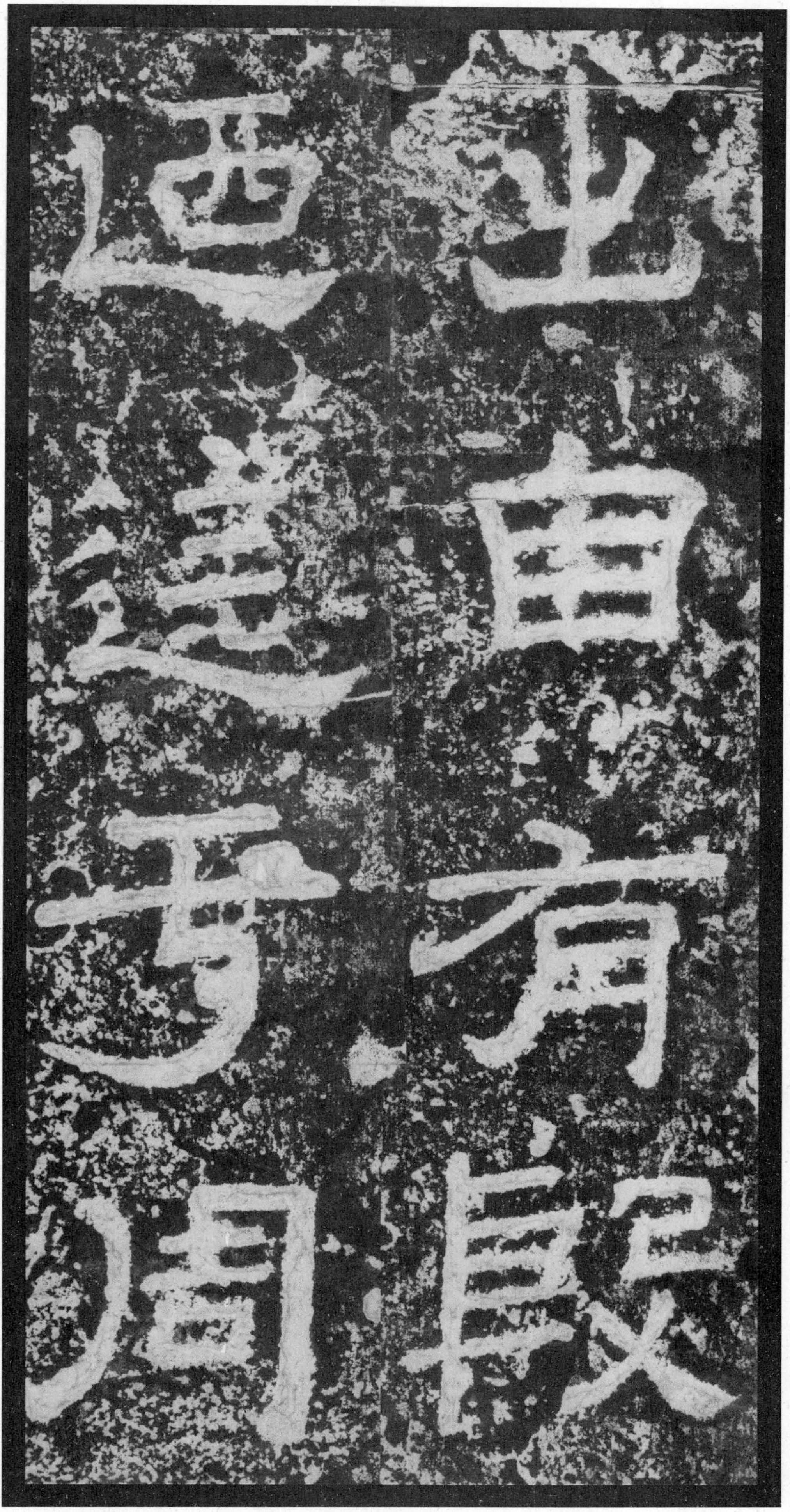

出自有殷　乃迄于周

世　作師尹赫赫之盛

因以爲氏　吉甫相周

宣　勛力有章　文則作

頌　武襄獫狁　二子著

詩　列于風雅　及其玄

孫言多　世事景王載

在史典　秦兼天下　侵

暴大族　支判流僊　或

居三川　或徙趙地　漢

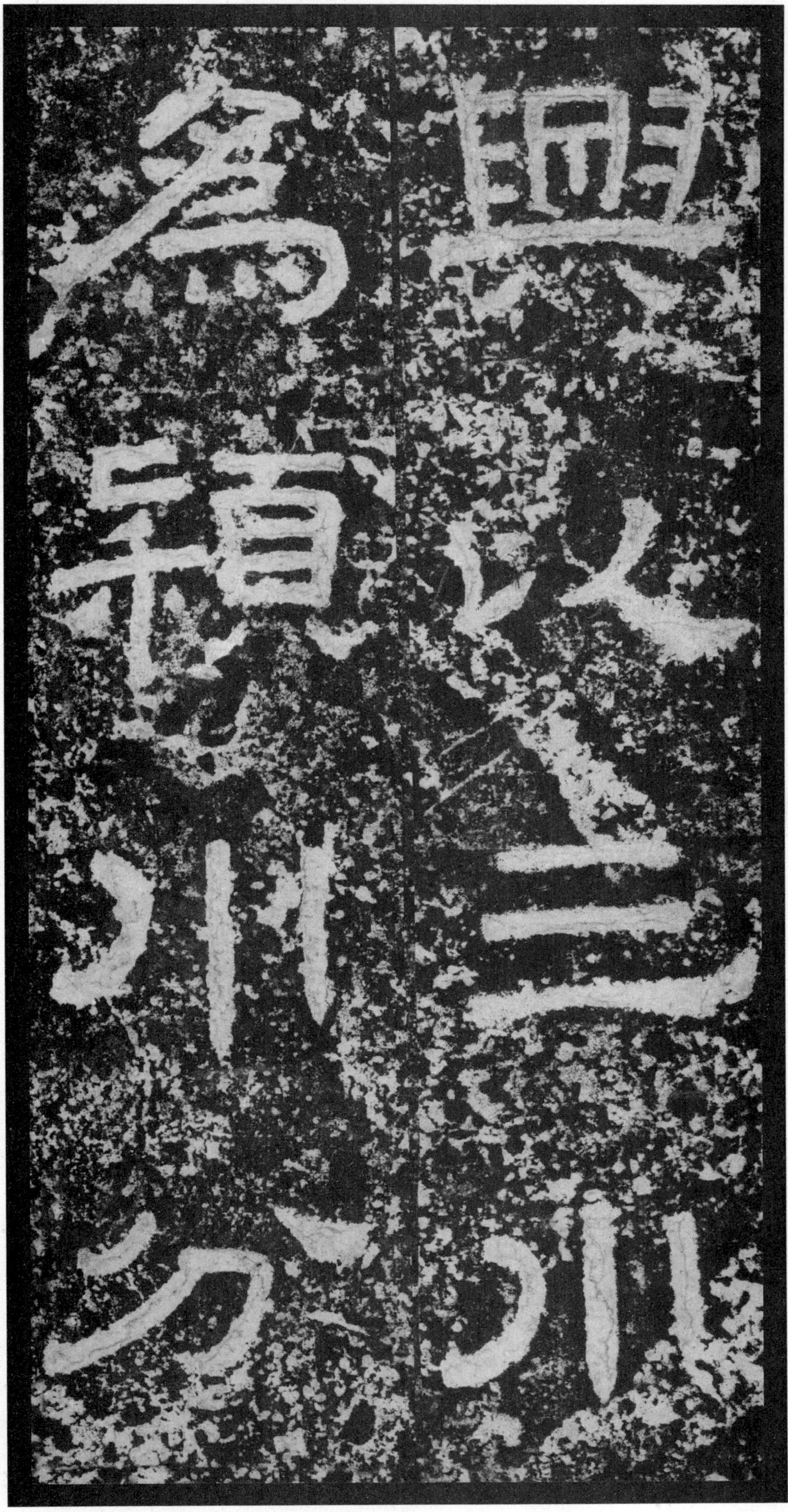

興　以三川爲穎川　分

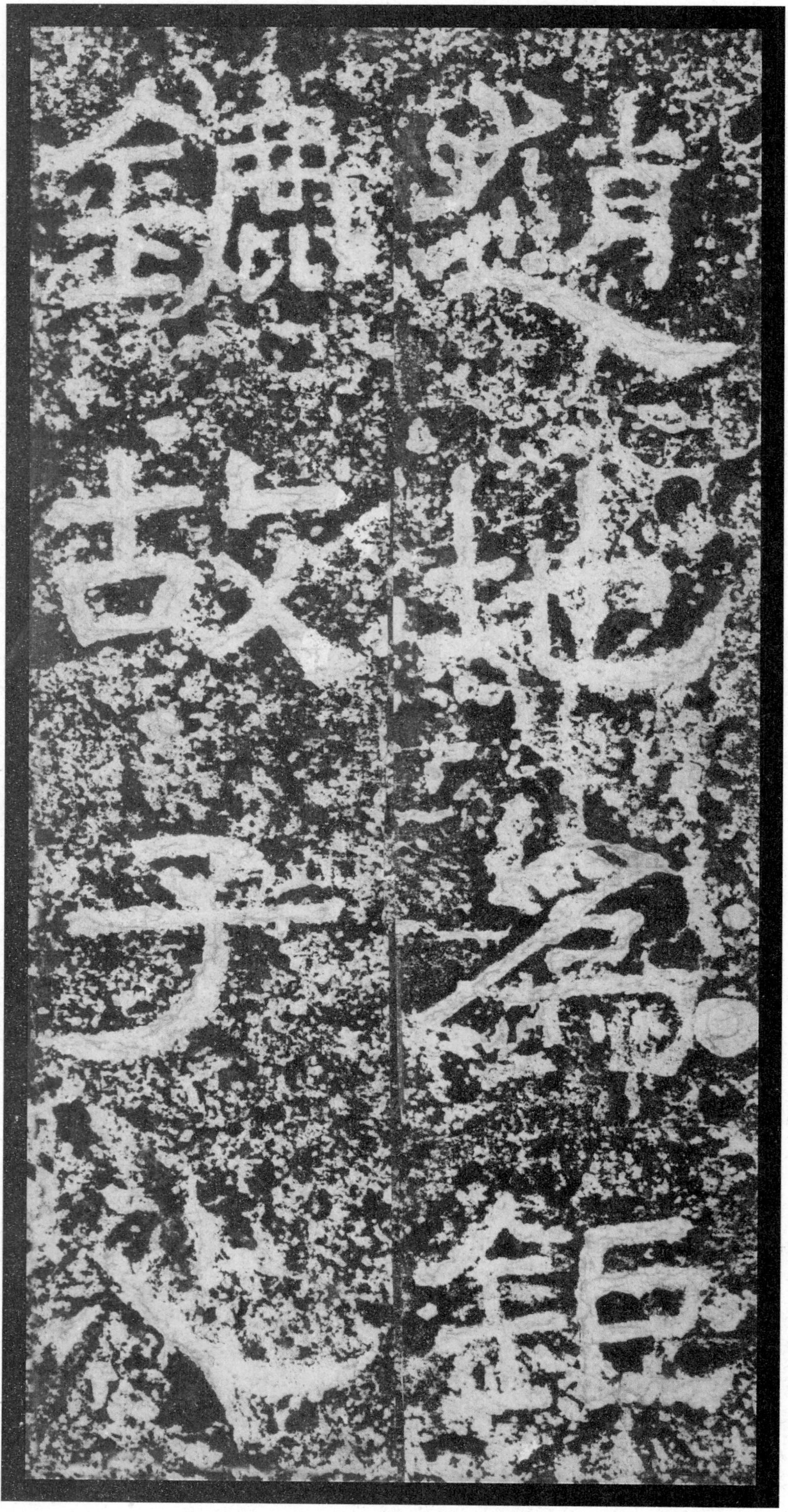

趙地爲鉅鏕　故子心

騰於楊縣致位執金

吾　子孫以銀艾相繼

在潁川者　家于僑陵

克纘祖業　牧守相亞

君東平相之玄　會稽

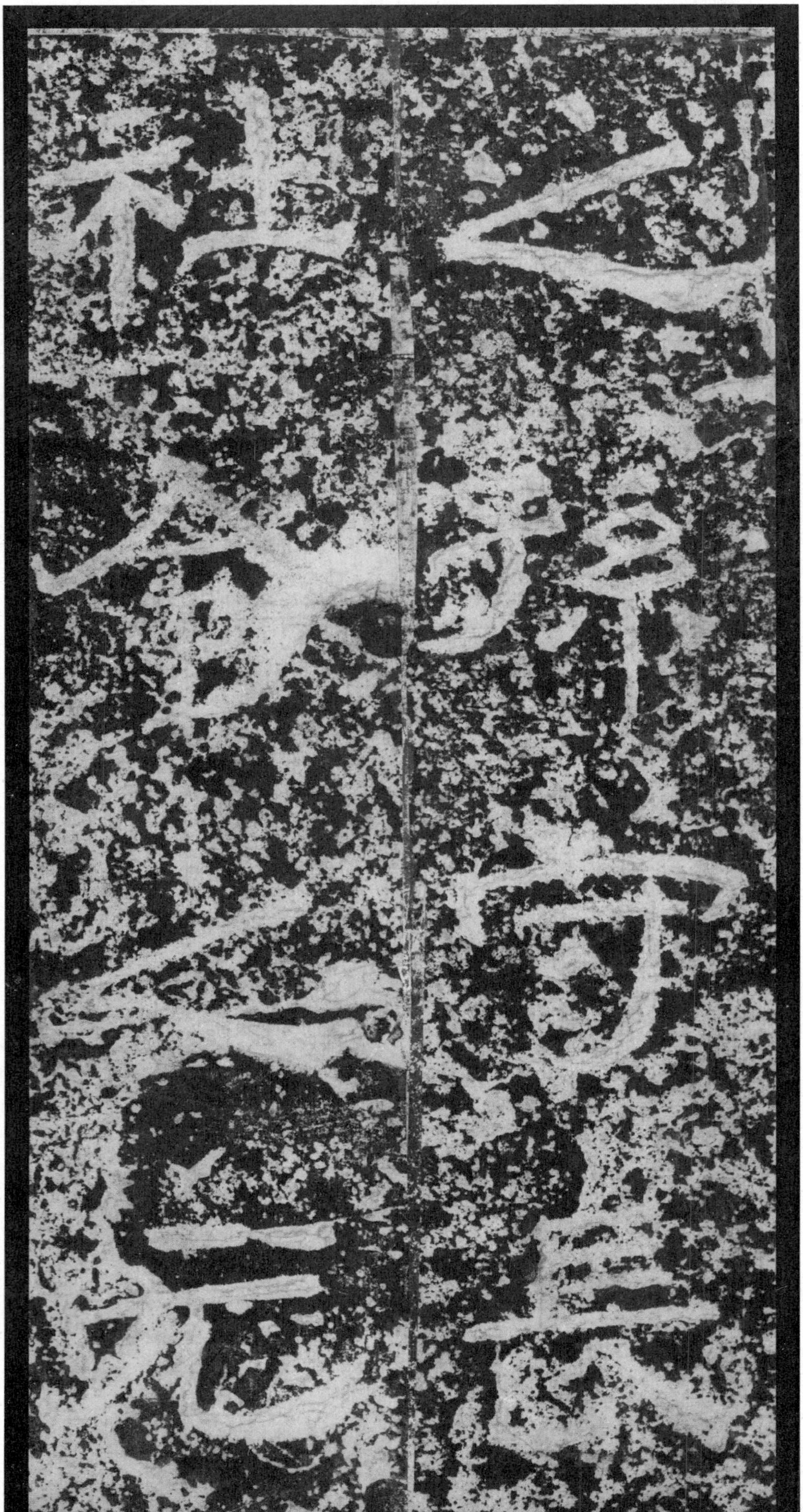

之孫　守長社令之元

子也　君體温良恭儉

大守之曾富汲侯相

之德　篤親于九族　恂

恂於鄉黨　交朋會友

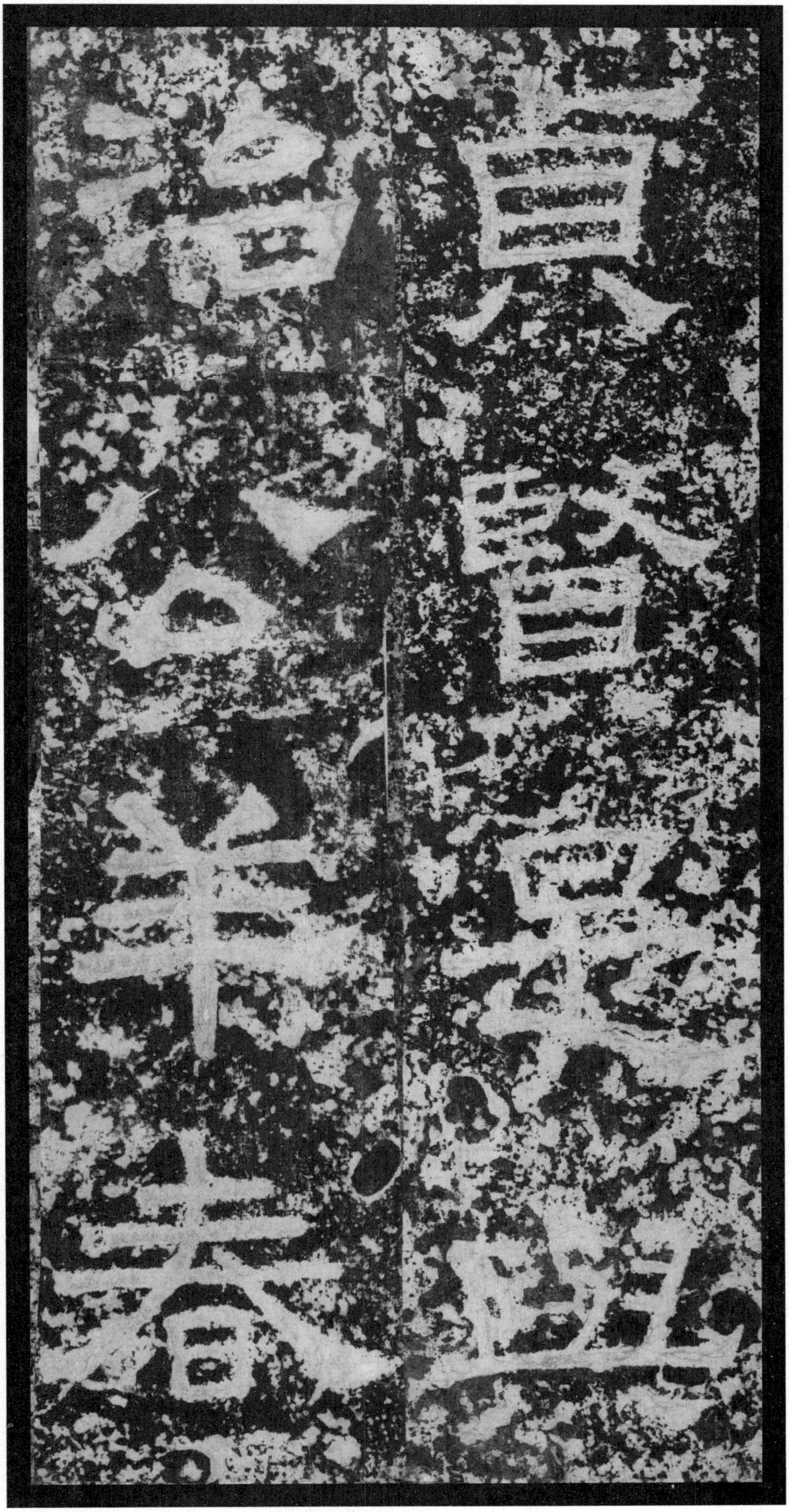

貞賢是與　治公羊春

秋經　博通書傳　仕郡

歷主簿督郵　五官掾

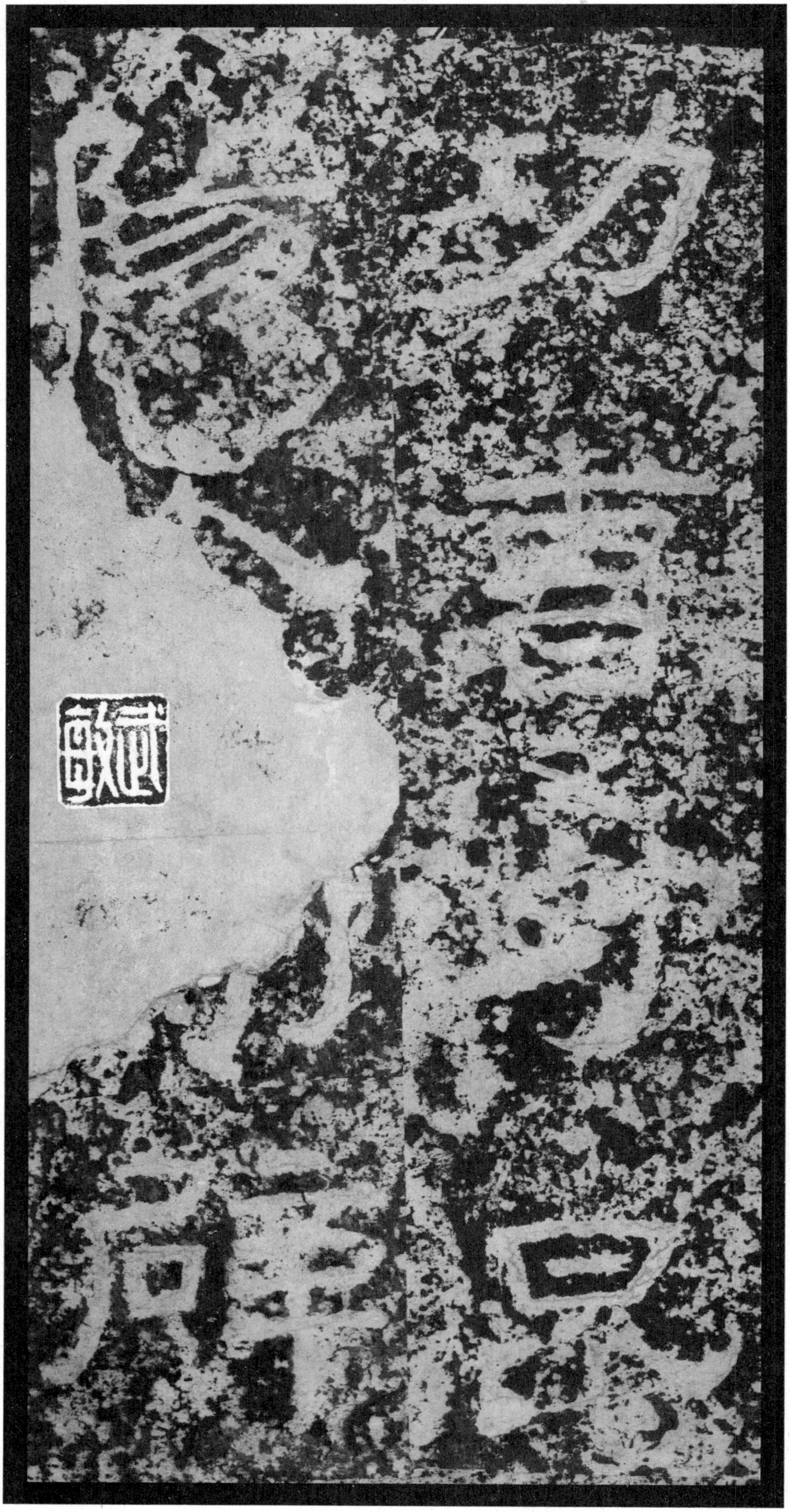

功曹　守昆陽令　州辟

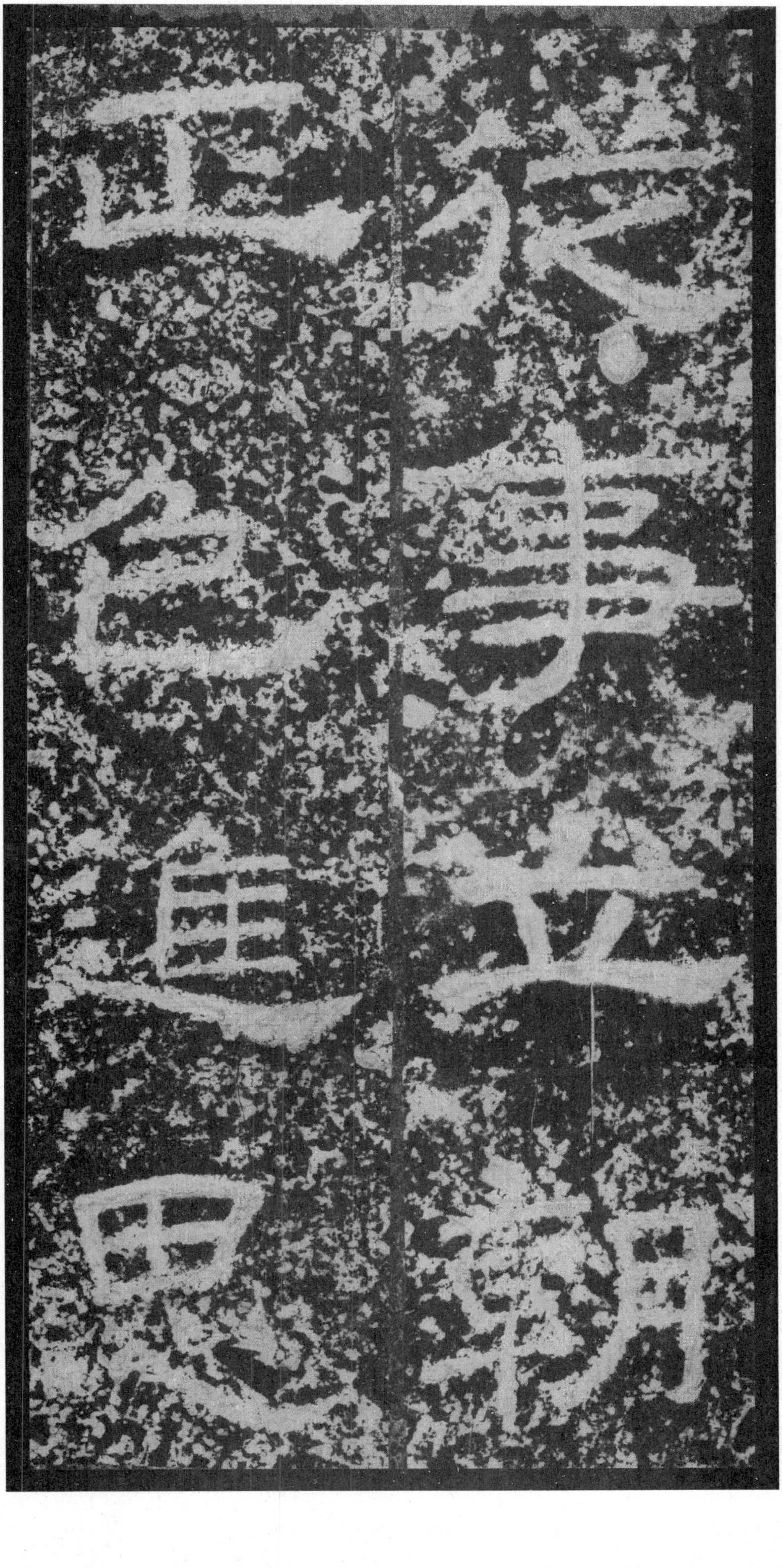

從事　立朝正色　進思

盡忠　舉衡以處事　清

身以厲時　高位不卑

官不以爲恥　含純履

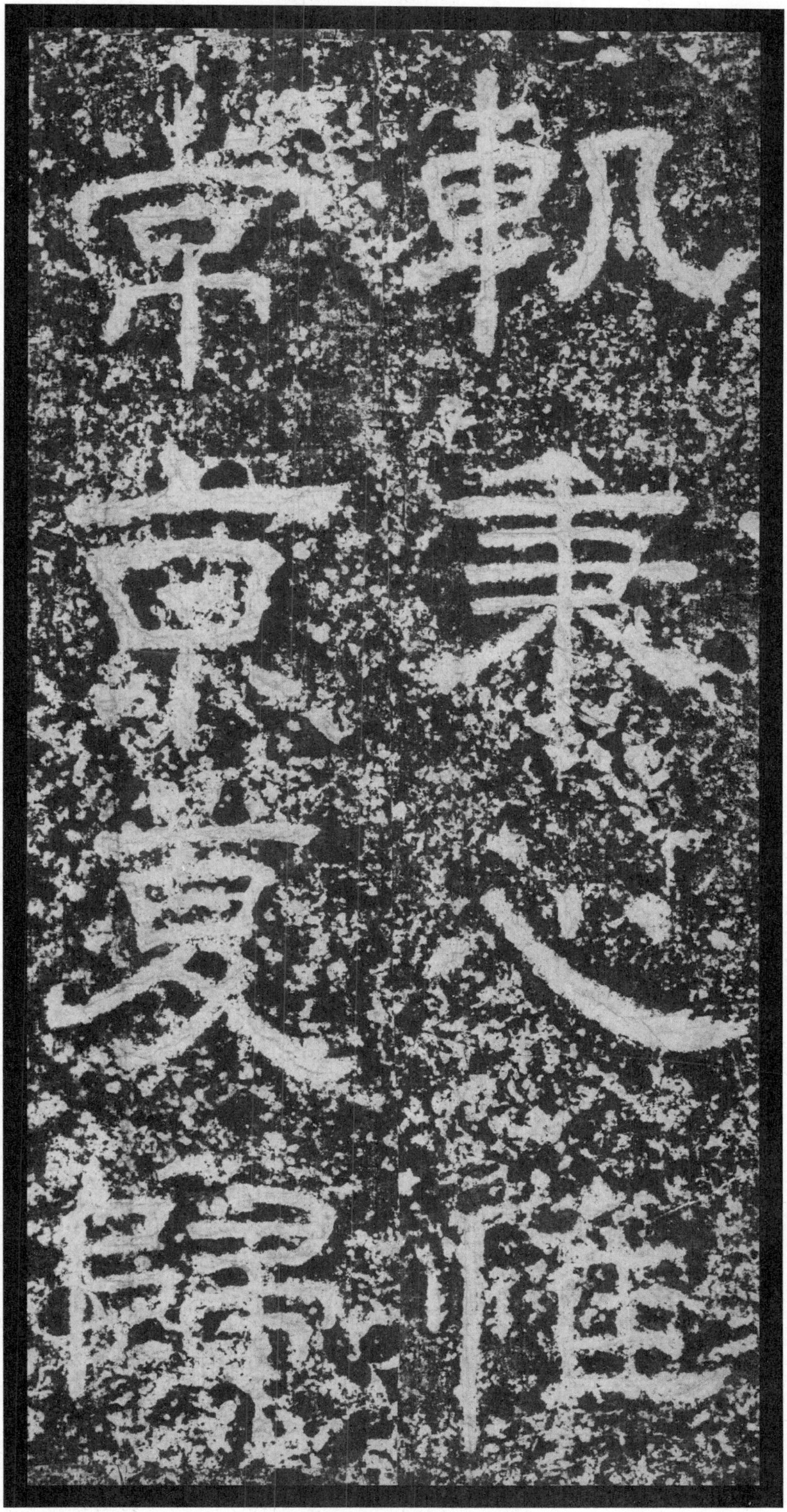

軌　秉心惟常　京夏歸

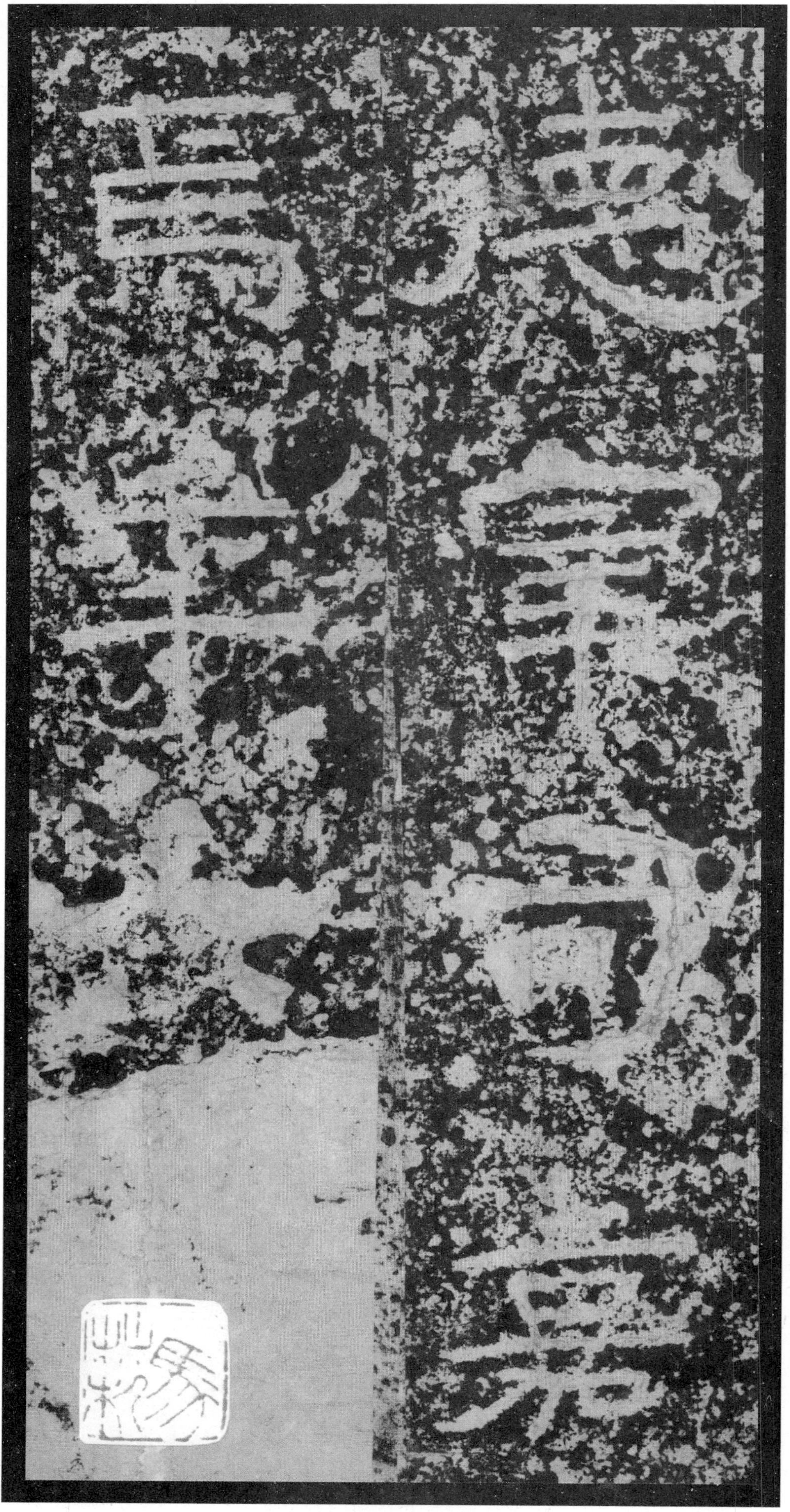

德　宰司嘉焉　年六□

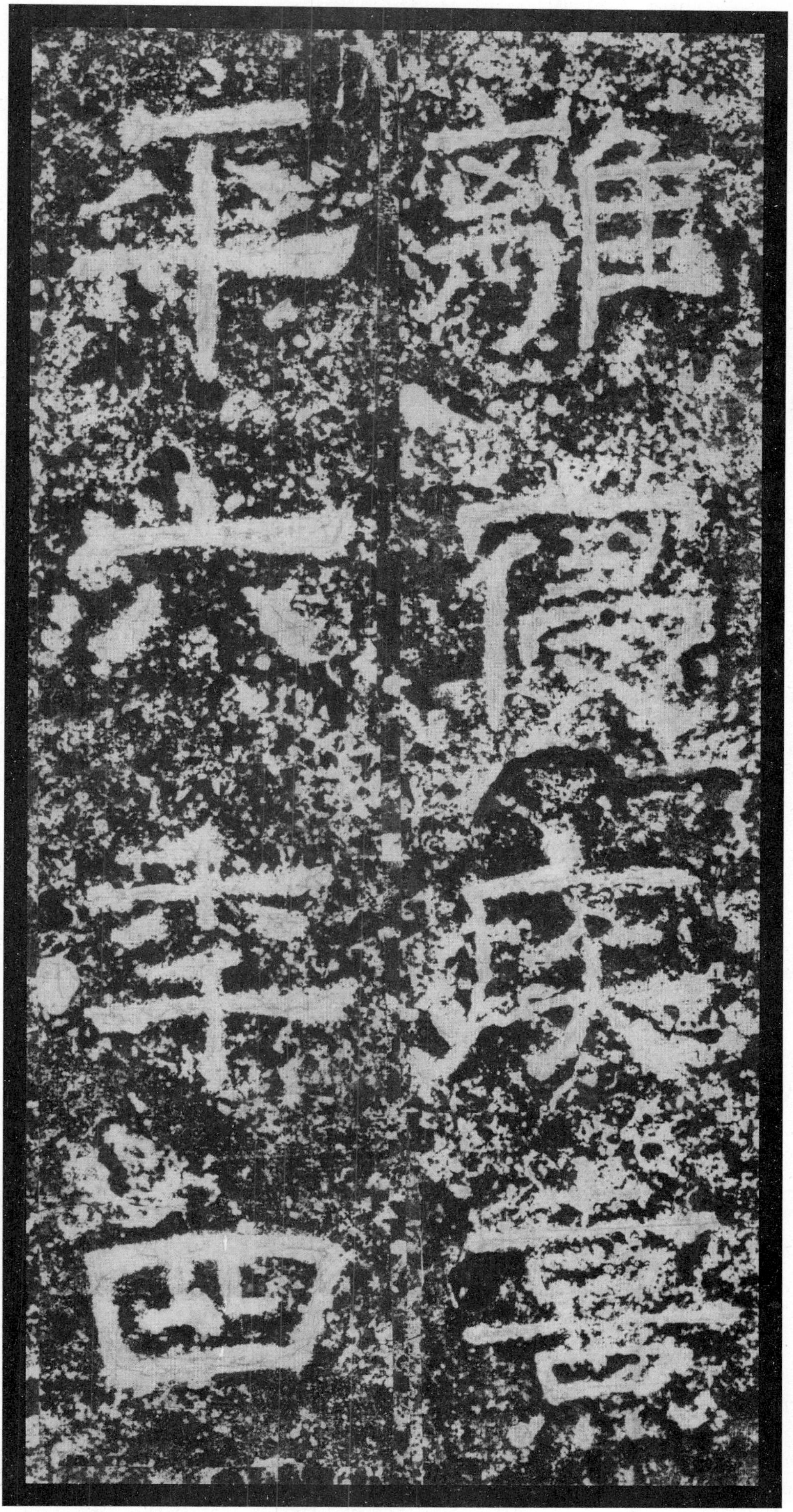

離寝疾　熹平六年四

月己卯卒　於是論功

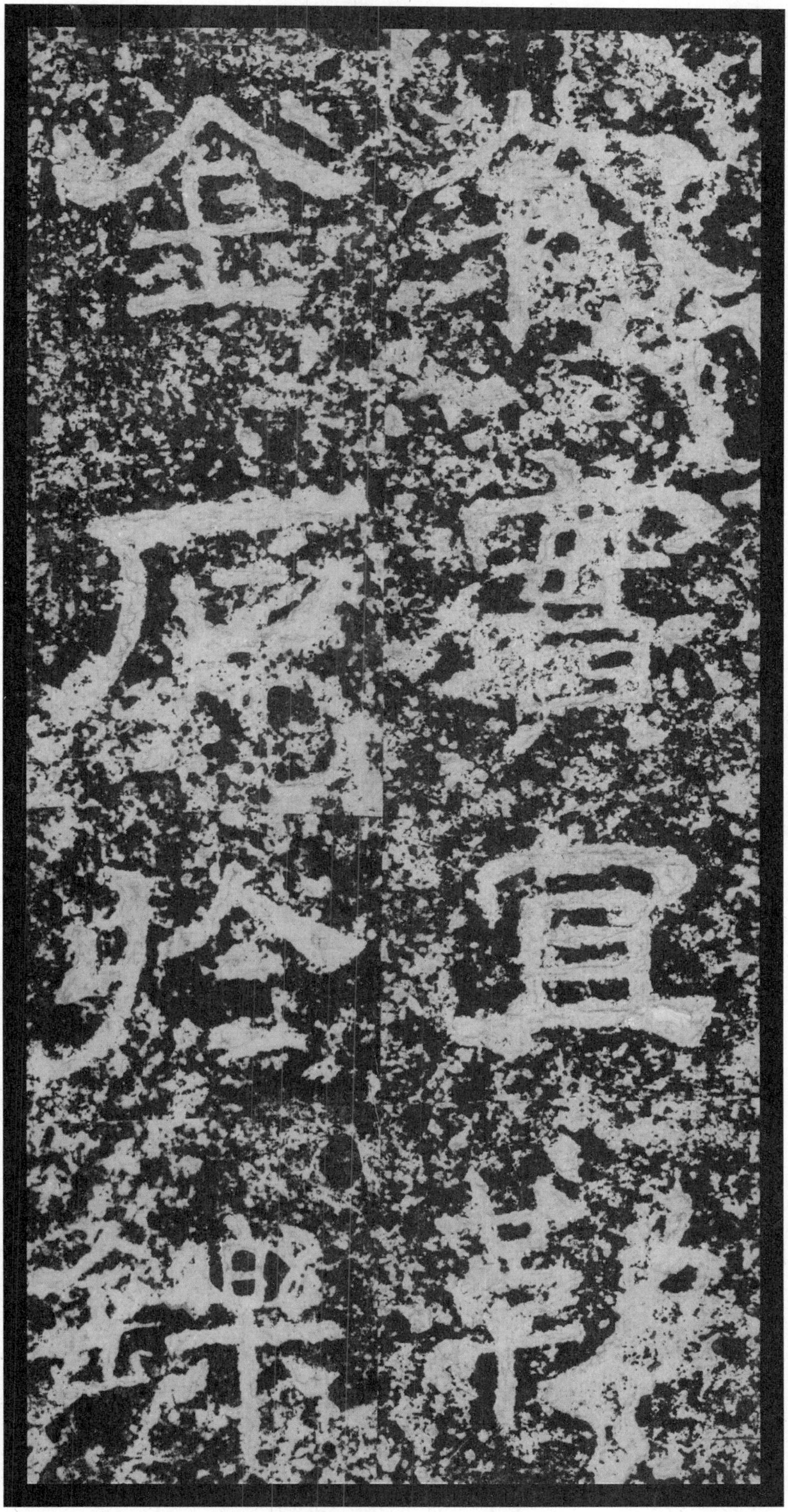

叙實　宜勒金石　於鑠

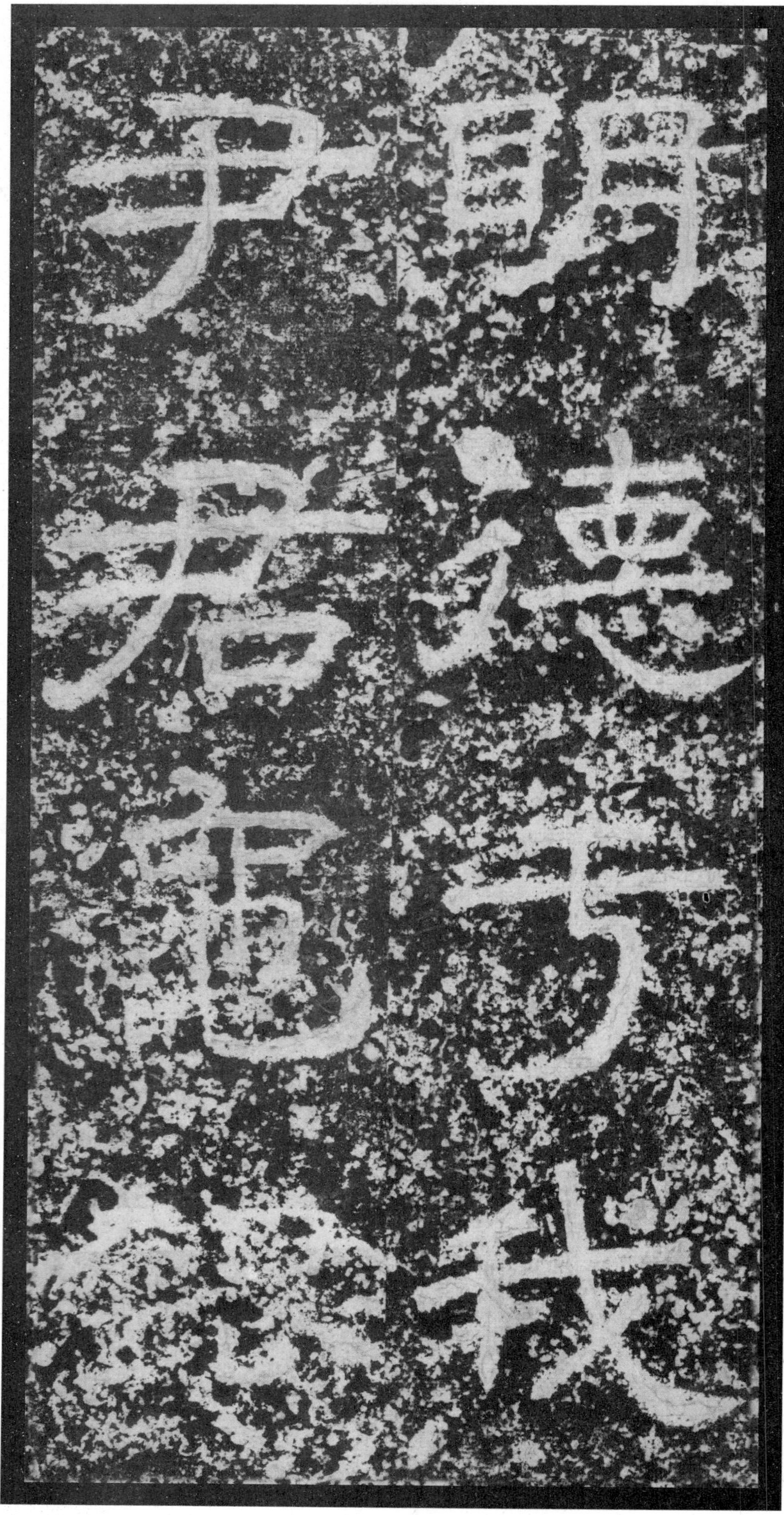

明德于我尹君　龜銀

之青奕世載勛　綱紀

本朝　優劣殊里遺愛

在民 佐翼牧伯 諸夏

肅震　當漸鴻羽　爲漢

輔臣　位不隨仁　景命

不永　早即幽昏　名光

來世　萬祀不泯

解说

从文俊

《尹宙碑》，全称《汉豫州从事尹宙碑》，东汉灵帝熹平四年（175年）刊立。元皇庆三年（1312年），河南鄢陵县达鲁花赤物色碑材，于洧川（今河南长葛县）发现此碑，移入孔庙。其后不久，碑再度埋没于土中，至明万历年间（一说嘉靖十七年）洧水岸崩重新出土，置鄢陵县孔庙。碑额题『汉豫州从事尹公铭』，一说为『汉故豫州从事尹君之铭』，相差二字，今仅存『从』、『铭』二字，已无从稽考二说是非。

碑字隶书，十四行，行二十七字，字迹完好无缺。明拓本墨色光鲜，字体肥方，一字不损，然今已不存。清初拓本十三行『德』字左旁微泐；乾嘉拓本『德』字漫患，末二行『不』字不连石花；嘉道拓本『不』字损泐；道咸拓本不下『寿』字亦见损泐；近拓本下截残损约四十余字。有翻刻本及影印本行世。

王澍《虚舟题跋补原·汉尹宙碑》评云：『汉人隶书每碑各自一格，莫有同者。大要多以方劲古拙为尚，独《尹宙碑》笔法圆健，于楷为近。唐人祖其法者，敛之则为虞伯施，扩之则为颜清臣，可见古人能事，各有原本，而能绝诣其极，所以独有千古也。』案，《尹宙碑》笔法遒媚圆健，时或可见近楷之形，但并不是其全部或主流。其理由有三：第一，与圆转相对，亦颇多见方折拗翘之笔，故尔此碑应属亦方亦圆、方圆兼备的风格类型；第二，字中时见以篆书字形而用隶体写定者，用笔与《夏承碑》相类，而形态有别，此当出于一时风尚；第三，字中残留早期隶书古形，代表了书体演进中的新旧交替过渡的样态。有鉴于此，《尹宙碑》可以视为东汉末年八分隶书中的复古之作，而由于潮流驱动，时尚夹杂其间，复古而未能古雅，由此而形成此碑的独特之处。

又，康有为《广艺舟双楫·本汉》评云：『《尹宙》风华艳逸，与《韩敕》、《杨孟文》、《曹全碑阴》同家，皆汉分中妙品。』我们姑且不论康氏与《尹宙》同列诸碑是否一伦，仅就其称《尹宙》为汉分妙品来说，即有似是而非之嫌，毕竟此碑书体不属于典型的东汉碑刻八分隶书，若单论其美，则『风华艳逸』之评倒差几近之。

又，徐树钧《宝鸭斋题跋》云：『碑额今只存「从」、「铭」二字，笔意已开唐人法门碑字，仍汉人正轨。』就风格而言，『从』、『铭』二字线条柔韧飘拂，有如吴带当风，其粗细变化及出锋之势，酷似兰叶婆娑，很可能是文献记载中由汉人创造的『倒薤篆』。如论其姿态之洒落流美，书法史上无可比拟，后来的『悬针篆』风格，即祖述于此，足以宝之。